O PEQUENO LIVRO PARA

realizar
GRANDES
SONHOS

CARO LEITOR,

Queremos saber sua opinião sobre nossos livros.

Após a leitura, curta-nos no facebook.com/editoragentebr, siga-nos no Twitter @EditoraGente, no Instagram @editoragente e visite-nos no site www.editoragente.com.br.

Cadastre-se e contribua com sugestões, críticas ou elogios.

Robson Hamuche
Andreza Carício

O PEQUENO LIVRO PARA

realizar

GRANDES

SONHOS

Gente
editora

Diretora
Rosely Boschini

Gerente Editorial Pleno
Franciane Batagin Ribeiro

Assistentes Editoriais
Alanne Maria
Bernardo Machado

Produção Gráfica
Fábio Esteves

Capa, Projeto Gráfico e Diagramação
Mariana Ferreira

Revisão
Wélida Muniz

Impressão
Rettec

Copyright © 2021 by Andreza Carício, Robson Hamuche.
Todos os direitos desta edição são reservados à Editora Gente.
Rua Original, 141/143 – Sumarezinho
São Paulo, SP – CEP 05435-050
Telefone: (11) 3670-2500
Site: www.editoragente.com.br
E-mail: gente@editoragente.com.br

Dados Internacionais de Catalogação na Publicação (CIP)
Angélica Ilacqua CRB-8/7057

Hamuche, Robson
 O pequeno livro para realizar grandes sonhos / Robson Hamuche, Andreza Caricio. - São Paulo: Editora Gente, 2021.
 48 p.

ISBN 978-65-5544-165-9

1. Desenvolvimento pessoal 2. Autoajuda 3. Autorrealização I. Título II. Caricio, Andreza

21-4729   CDD 158.1

Índice para catálogo sistemático:
1. Desenvolvimento pessoal

NOTA DA PUBLISHER

Sonhar e investir em um sonho fala muito de nossa capacidade de realizar e acreditar em nosso potencial. Porém, tão importante quanto sonhar é utilizar as ferramentas certas para concretizar aquilo que desejamos. Se esse é seu objetivo, *O pequeno livro para realizar grandes sonhos*, livro de Robson Hamuche e Andreza Carício, é o guia certo para você que almeja ter os sonhos realizados.

Robson Hamuche, autor de projetos inspiradores da casa, como *Pílulas de resiliência* (2020) e *Um compromisso por dia* (2019), e Andreza Carício, autora que chega ao casting da Editora Gente para cumprir seu propósito, trazem – apresentando os planos mental, material e espiritual – uma mensagem transformadora: com os recursos e os questionamentos corretos é possível alcançar o que tanto se deseja.

Publicar *O pequeno livro para realizar grandes sonhos* é um grande presente para mim, pois ele carrega uma mensagem de valor e ensina como podemos manter a chama de um sonho acesa. Tenho certeza de que, assim como eu, você terminará esta leitura encantado e com um plano traçado para concretizar seus maiores objetivos. Boa viagem!

Rosely Boschini – CEO e Publisher Editora Gente

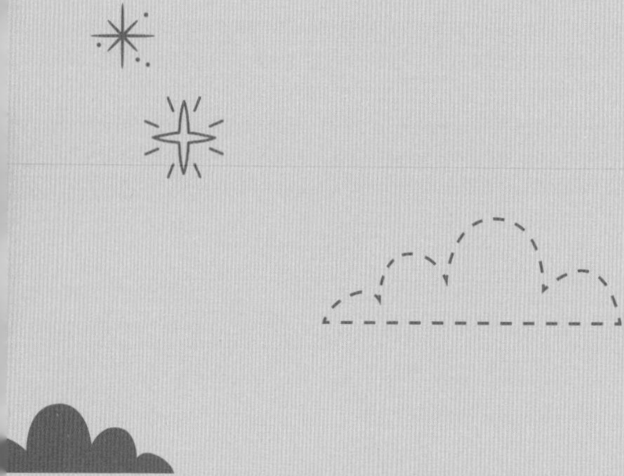

AGRADECIMENTOS

Agradecemos a Deus que com sua imensa generosidade concede ao ser humano coragem e resiliência para buscar e acreditar na realização de seus sonhos *todo santo dia*.

Olá, caro leitor e leitora.

Este é um livro prático que ajudará você na realização de seus maiores sonhos e, para que a experiência de leitura seja melhor, sugerimos que você tenha em mãos um caderno, bloco de anotações ou algumas folhas em branco para anotar *insights* e responder aos exercícios durante a jornada.

Boa leitura!

SUMÁRIO

INTRODUÇÃO: VOCÊ PODE SONHAR GRANDE	12
PLANO MENTAL	16
TENHA CLAREZA	17
SEJA ASSERTIVO NAS SUAS PERGUNTAS	18
FAÇA SEU PLANEJAMENTO	22
RECURSOS INTERNOS E EXTERNOS	23
INTERFERÊNCIAS INTERNAS E EXTERNAS	25
SEU SONHO É FACTÍVEL?	27
PLANO MATERIAL	28
1. ANALISE O CENÁRIO	30
2. DEFINA OS SEUS OBJETIVOS	30
3. DELIMITE O TEMPO	31
4. ENCONTRE A SUA MOTIVAÇÃO	32

5. FAÇA UMA AUTOAVALIAÇÃO	33
6. VISUALIZE O TRAJETO PARA O SEU SONHO	33
7. TENHA UM GUARDIÃO DO SEU SONHO	34
8. TENHA UM GRUPO DE APOIO	35
9. ACOMPANHE O SEU PLANO	36
10. OUSE IR ALÉM	36
11. CELEBRE CADA CONQUISTA RUMO AO SEU SONHO	37
PLANO ESPIRITUAL	**40**
ENCONTRE O PROPÓSITO DO SEU GRANDE SONHO	41
O SONHO FAZ O SEU CORAÇÃO VIBRAR?	42
A RODA DA VIDA	42
FÉ INABALÁVEL	45
CONCLUSÃO: CUIDE DA JORNADA	**46**

INTRODUÇÃO:

VOCÊ PODE SONHAR GRANDE

Nós nos conhecemos em agosto de 2016, em um evento de Tony Robbins em Las Vegas, nos Estados Unidos. Logo que nos conhecemos, sentimos uma grande afinidade – estávamos em um ambiente de transformação e buscávamos ferramentas para a realização de nossos sonhos. Foram dias intensos de reconexão espiritual e limpeza interna; em uma de nossas conversas, Robson teve um pressentimento de que faríamos algo juntos futuramente. Uma sensibilidade que realmente fez a diferença em nossa história.

À época, Robson comentou que teve um sonho e, a partir dele, criou um canal nas redes sociais chamado Resiliência Humana. O perfil do Instagram do Resiliência tinha pouco mais de 100 mil seguidores e, o do Facebook, mais de 1 milhão. No entanto, ele mencionara que aquele espaço se tornaria um grande ativador de sonhos por meio do autoconhecimento, da inteligência emocional e da resiliência – e que cresceria cada vez mais, ajudando as pessoas a conseguir o mesmo que nós: as ferramentas certas para realizar nossos sonhos.

Anos depois, no fim de 2019, Andreza trouxe para o Resiliência Humana as *lives* Todo Santo Dia – nome de seu primeiro livro best-seller. A partir disso, ficamos ainda mais próximos, e àquela altura já tínhamos a certeza de que algo gigante surgiria de nossa amizade, afinal tínhamos um propósito em comum. Então, em um dos inúmeros encontros com Andreza, uma centelha se acendeu em nossos corações e a ideia de escrever um livro juntos nasceu; mas não poderia ser um livro qualquer: precisaríamos falar sobre sonhos, um marco na nossa caminhada. Chegara a hora de compartilhar esses ensinamentos com milhares de vidas e ajudá-las a alcançar realizações pessoais, profissionais, financeiras e espirituais.

O pequeno livro para realizar grandes sonhos é o fruto de nossa amizade, mas, sobretudo, é o fruto mais poderoso de nossos sonhos.

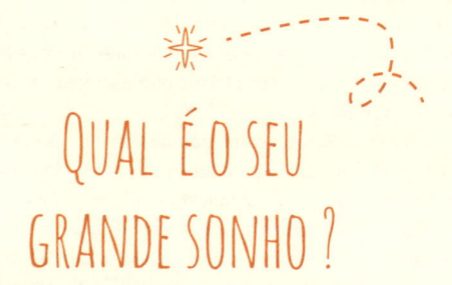

Qual é o seu grande sonho?

Ele parece ainda muito distante da sua realidade ou você sente que está no caminho? Os passos são mais lentos do que gostaria ou você está seguindo em um bom ritmo para realizar o que mais deseja?

Muitas vezes, temos um grande sonho, mas a atenção necessária que damos a ele nunca é suficiente. Você se sente assim? Somos engolidos pelas tarefas urgentes do cotidiano e o que consideramos nosso grande projeto de vida vai ficando para depois. Se isso acontece com você, fique tranquilo. Saiba que você não está só; e que existem maneiras de mudar essa história – a história da sua vida. E acredite: você está no lugar certo, com o conteúdo correto em mãos e nós podemos ajudar em qualquer etapa que você esteja da caminhada rumo à realização de seus maiores sonhos.

INTRODUÇÃO: VOCÊ PODE SONHAR GRANDE

Sonhar e imaginar é apenas uma parte – a primeira delas – para ver o seu sonho realizado. As outras etapas você encontrará aqui, pois são elas que farão com que você chegue cada vez mais perto do seu sonho até que ele se torne realidade.

O pequeno livro para realizar grandes sonhos tem a proposta de trazer para você, caro leitor ou leitora, um pequeno manual certeiro que ajudará no planejamento e na execução de grandes realizações em sua vida. Aqui você encontrará conceitos, reflexões, exercícios e muitas ideias boas para que você consiga colocar seus planos em andamento, rumo à realização. Para isso, passaremos por três etapas: os planos mental, material e espiritual. Um sonho se realiza quando você ativa esses planos. No plano mental, estamos falando do momento em que você sabe exatamente o que quer; no plano material, temos a realização consistente de pequenas metas que, juntas, levarão você à materialização de um sonho; por fim, no plano espiritual, temos o momento em que você reveste o seu sonho com um propósito e uma fé inabaláveis.

Não existe hora melhor do que hoje e agora para que você coloque tudo isso em prática e comece a viver o que mais desejou em sua vida inteira: os seus maiores sonhos! Por isso, aproveite cada etapa e não se esqueça de que o primeiro passo já foi dado. Agora você precisa apenas aproveitar o caminho e executar o que for necessário para seguir em frente. Bem-vindo à jornada de grandes realizações e grandes conquistas. A realização de seus grandes sonhos começa logo ali, na próxima página.

Andreza Carício
Robson Hamuche

PLANO MENTAL

> Se você consegue sonhar algo, consegue realizá-lo.

– Walt Disney

TENHA CLAREZA

Sabe por que algumas pessoas se sentem realizadas na vida e outras não? Explicamos: a grande diferença está em saber o que realmente se quer. Pessoas realizadas sabem o que querem, elas têm clareza do que desejam para si.

É possível que você esteja começando a leitura pensando em um grande sonho que tem, mas é possível também que ele ainda esteja muito genérico. Nesse caso, o que está faltando? Clareza. Talvez o seu desejo seja ser saudável, emagrecer. Ou então o seu maior sonho seja ser feliz. Mas é preciso ser mais específico.

O que é ser saudável para você? É escolher alguns tipos de alimentos para colocar em seu prato? Fazer exercícios físicos?

E o que é ser feliz? É ter tempo de qualidade com o seu filho? Ou então encontrar o amor da sua vida?

A partir do momento que você começa a se questionar e a verificar os detalhes do que almeja, você passa por um processo de ter clareza do que quer e, assim, fica mais fácil planejar o que deseja concretizar.

Para essa tarefa, nada melhor do que o autoconhecimento. Ele nos ajuda a entender o que nos traz felicidade. Então, para este primeiro momento, nossa proposta é que você faça uma reflexão: qual é o seu sonho hoje? Você tem clareza do que ele representa? Reserve entre trinta e sessenta minutos para pensar nesses questionamentos e anote suas percepções em um papel para que possa olhá-las durante a nossa jornada.

É preciso investir tempo nessa reflexão, pois ela nos dará um guia para seguir em direção às próximas etapas. Mapeie seus sonhos e suas vontades, mas também coloque ali seus valores, o que cada um dos seus maiores desejos representa em sua vida. Aproveite também para já definir algumas prioridades. O que há de mais importante nesse primeiro momento? Escreva!

Tudo isso trará luz à jornada e ajudará você no próximo exercício.

SEJA ASSERTIVO NAS SUAS PERGUNTAS

O próximo passo de nossa etapa só pode ser dado se você tiver conseguido refletir sobre os pontos que trouxemos. Agora é hora de pensarmos detalhadamente sobre a sua vida e a sua caminhada: o que aconteceu até aqui e o que podemos utilizar como ferramentas para atingir os nossos sonhos. E não se esqueça: utilize seu bloco de anotações para registrar todas as respostas. Vamos lá!

1. **QUAIS FORAM AS TRÊS MELHORES COISAS QUE ACONTECERAM EM SUA VIDA ESTE ANO? LISTE-AS DETALHANDO O MOTIVO PELO QUAL ELAS FORAM BOAS.**

2. **E QUAIS FORAM OS TRÊS PIORES ACONTECIMENTOS? NÃO SE ESQUEÇA DE COLOCAR OS MOTIVOS PELOS QUAIS OS ACONTECIMENTOS FORAM TÃO DOLORIDOS.**

3. PENSANDO NAS RESPOSTAS ANTERIORES: QUAIS FORAM OS SEUS GRANDES APRENDIZADOS COM ESSES SEIS ACONTECIMENTOS? SABEMOS QUE NÃO SERÁ FÁCIL, MAS NOSSA PROPOSTA É QUE VOCÊ TENTE PENSAR EM LIÇÕES POSITIVAS PARA TUDO O QUE ACONTECEU, TANTO PARA AS REALIZAÇÕES BOAS QUANTO PARA OS ACONTECIMENTOS RUINS. ANOTE TUDO!

4. QUAIS FORAM AS 5 PRINCIPAIS PESSOAS QUE FIZERAM DIFERENÇA POSITIVA NESTE ANO? POR QUÊ?

5. QUAL É A FRASE DE GRATIDÃO QUE QUERO DEIXAR PARA CADA UMA DELAS? ANOTE E SEPARE UM MOMENTO PARA ENVIAR PARA ESSAS PESSOAS.

6. PELO QUE DEVO SER GRATO ESTE ANO?

7. O QUE NÃO CONSEGUI RESOLVER AINDA, MAS QUE ME COMPROMETO A DEDICAR ENERGIA PARA REALIZAR? ANOTE TAMBÉM PENDÊNCIAS QUE VOCÊ TEM HOJE E QUE SE COMPROMETE A RESOLVER EM UM CURTO PERÍODO. CASO NÃO POSSA SER RESOLVIDO

EM MENOS TEMPO, ANOTE UM PRAZO PARA RESOLUÇÃO E SE COMPROMETA COM ELE.

8. QUAIS SÃO OS MEUS OBJETIVOS PARA ESTE ANO? PENSE NAS PRINCIPAIS ÁREAS DA VIDA: SAÚDE, FAMÍLIA, TRABALHO, ESPIRITUALIDADE, FINANÇAS, LAZER E, PRINCIPALMENTE, OBJETIVOS PESSOAIS REFERENTES A QUEM QUERO SER E EM QUEM QUERO ME TRANSFORMAR.

9. QUAIS SÃO AS MINHAS METAS PARA QUE ISSO ACONTEÇA? O QUE PRECISO FAZER DIARIAMENTE PARA CONSEGUIR REALIZÁ-LAS?

10. O QUE DEVO PARAR DE FAZER HOJE PARA QUE O MEU SONHO SE REALIZE? QUAIS SÃO AS TRÊS PRINCIPAIS HISTÓRIAS QUE DEIXAREI DE CONTAR A MIM MESMO PARA ME ENGANAR? QUAIS SÃO AS TRÊS PRINCIPAIS ATITUDES QUE PRECISO TER PARA DIZER CHEGA A ESSES COMPORTAMENTOS QUE ESTÃO ME DISTANCIANDO DE MEUS SONHOS?

11. LISTE CINCO ATITUDES QUE VOCÊ COLOCARÁ EM PRÁTICA A PARTIR DE AMANHÃ PARA CONSEGUIR ATINGIR SEUS OBJETIVOS.

12. QUAL É A SUA MISSÃO? O QUE MOVE VOCÊ?

13. QUAL É O SEU PROPÓSITO DE VIDA?

14. O QUE VOCÊ FAZ QUE O DEIXA VERDADEIRAMENTE FELIZ? PENSE AQUI NA SUA VIDA PESSOAL E PROFISSIONAL, LISTANDO O QUE VOCÊ REALMENTE GOSTA EM AMBAS.

15. O QUE VOCÊ SEMPRE QUIS CONQUISTAR, MAS NUNCA TEVE CORAGEM?

16. POR FIM, PENSE AGORA EM ONDE VOCÊ GOSTARIA DE ESTAR DENTRO DE CINCO, DEZ, QUINZE E VINTE ANOS. ESCREVA SOBRE COMO VOCÊ IMAGINA A SUA VIDA, COMO VOCÊ VÊ SEU FUTURO, O QUE ESTARÁ ACONTECENDO NESSES MOMENTOS.

Agora, sim, temos uma base de como você está se saindo nessa jornada chamada vida. Com as respostas em mãos, é hora de refletir sobre o que apareceu nas suas anotações e de montar um planejamento dos próximos passos.

Mas, afinal, o que é planejar? E qual é a grande importância disso?

FAÇA SEU PLANEJAMENTO

Planejar é organizar um plano para que possamos atingir um determinado objetivo.

É traçar um caminho, programar um roteiro. Com o planejamento é possível prever, antecipar e realizar ações futuras de maneira eficiente, pois essa ferramenta se refere à criação de estratégias que viabilizam o alcance de nossos objetivos, deixando nossas escolhas e decisões mais claras.

Quando planeja algo, você aproveita as oportunidades e se prepara para eventuais ameaças e problemas. Ou seja, o planejamento proporciona a você o equilíbrio da sua vida pessoal e profissional, trazendo maior qualidade de vida em todas as áreas.

UM PLANEJAMENTO DE QUALIDADE AINDA GARANTE:

- Reflexão sobre a sua vida;
- Desenvolvimento do autoconhecimento;
- Viabilização de novas alternativas;
- Redução de desperdício de tempo e de esforço desnecessário;
- Comprovação do que é prioridade;
- Aumento da produtividade.

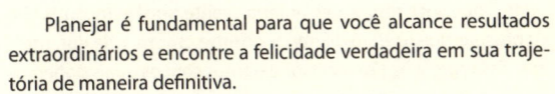

Planejar é fundamental para que você alcance resultados extraordinários e encontre a felicidade verdadeira em sua trajetória de maneira definitiva.

Para planejar, temos como primeira etapa a análise dos recursos que temos, ou seja, agora é hora de analisar tudo do que você dispõe a favor de seu sonho. Olhe também para as interferências, os obstáculos que podem aparecer no meio do caminho.

Mas o que exatamente são os recursos e interferências? Falaremos deles a seguir.

RECURSOS INTERNOS E EXTERNOS

Quais são as suas melhores características hoje? Suas verdadeiras qualidades, aquelas que você se orgulha de possuir. Essas **qualidades são recursos internos**, ou seja, tudo aquilo que você tem "dentro de si" e que pode ajudar no processo da realização de sonhos.

Você é disciplinado? É focado? É organizado? É positivo? É entusiasmado? É estudioso? Todas essas características (e muitas outras!) podem ser consideradas como recursos internos que o ajudarão nessa etapa. É claro que sabemos que, para avançar, precisamos fazer o que for preciso para a realização do que desejamos; entretanto, nem sempre valorizamos o que temos de melhor. Assim, tudo o que você é e tudo o que pode ser usado como aliado é um recurso.

Mas e os recursos externos? Pare e pense: em uma das perguntas que você respondeu anteriormente, você elencou as cinco pessoas que fizeram diferença positiva em sua vida durante o ano. Essas pessoas são recursos externos com os quais podemos contar. Nossos amigos são recursos externos.

Vamos imaginar que um dos seus amigos já conquistou um sonho muito parecido com o que você almeja. Será que você não poderia perguntar a ele ou ela qual foi o processo utilizado para atingir esse objetivo? Quais foram as dicas e as interferências? Tudo isso poderá ajudar você a diminuir a quantidade de pedras que aparecerá em seu caminho e facilitar a trajetória, às vezes até mesmo proporcionando um atalho. Você pode, a partir da experiência de seus amigos, errar menos. E acertar mais.

E na sua família? Existe alguém que o apoia e poderia ajudar com alguma das etapas na realização dos sonhos? Ou então em seu emprego: será que existe ali a possibilidade de ajuda para participar de um curso profissionalizante?

> # RECURSOS INTERNOS E EXTERNOS SÃO TRUNFOS QUE DEVEMOS UTILIZAR NA HORA DE PLANEJAR E REALIZAR SONHOS.

Assim, para este momento, gostaria de pedir que você pare e reflita sobre o que tem de melhor interna e externamente. Separe alguns minutos para escrever as conclusões a que chegar.

INTERFERÊNCIAS INTERNAS E EXTERNAS

Seríamos ingênuos se pensássemos que pedras no caminho não apareceriam. Aqui elas serão chamadas de interferências.

Interferências nada mais são do que os obstáculos que você precisará superar para conseguir realizar os seus maiores sonhos. E mais: durante essa jornada, aparecerão obstáculos internos e externos, da mesma maneira que vimos anteriormente.

Interferências internas dizem respeito aos nossos próprios

medos e receios que podem nos paralisar no momento de concretizar o que precisamos para que nosso sonho se realize. Existe insegurança? Medo de errar? Medo de fracassar? É possível que você pare, não se mova, não consiga avançar. É nesse momento que você precisará ser mais forte para seguir em frente.

Uma técnica que pode ajudar é olhar as anotações feitas até agora para que você saiba sua verdadeira missão para que esse objetivo se concretize. Respire, tome o seu tempo, mas avance. Não deixe a peteca cair e saiba que você é merecedor dos seus grandes sonhos.

Já as interferências externas se referem ao ambiente no qual você está e como ele muda o seu caminho repentinamente para que você não atinja suas metas. Interferências externas também podem ser pessoas com energia ruim, vida profissional desestruturada, familiares tóxicos ou até mesmo parceiros que não nos fazem bem. Tudo isso precisa ser avaliado.

Uma reflexão que você deve fazer neste momento é pensar em estratégias para se proteger de todas as interferências como se fossem amuletos de proteção. Talvez esses amuletos sejam pequenas mudanças de comportamento ou até mesmo o afastamento e rompimento completo de relações ou visitação de lugares. Tudo isso é válido se essa atitude fará com que você restabeleça o seu caminho em direção à realização de seus grandes sonhos.

Assim, reflita agora sobre as interferências que você observa hoje para que possamos seguir para o próximo passo.

SEU SONHO É FACTÍVEL?

Para conseguirmos realizar nossos grandes sonhos, é necessário que tenhamos clareza de metas que são factíveis ou não. E o que isso significa? Um exemplo: "Meu grande sonho é conseguir adquirir à vista uma casa daqui a um ano, mas em minha conta bancária ainda não consegui poupar 10% do valor total da casa e não tenho perspectiva de aumento de renda para os próximos meses".

Este sonho é viável? Sim! Mas infelizmente não no período de tempo do nosso exemplo. Isso significa que você nunca conseguirá? Não! Significa que você precisa fazer um planejamento de maior tempo para conseguir atingir algo grandioso. E precisará se organizar e perseverar.

Quanto maior o sonho, maior precisará ser o planejamento. Assim, ter sonhos factíveis é sonhar dentro de nossas possibilidades, dentro do que sabemos que será possível realizar. Podemos, sim, sonhar com grandes realizações, mas precisamos ter clareza de prazos em que é possível atingir nossos objetivos e cuidar para que tenhamos pequenas motivações durante o caminho, para que não desistamos.

Tudo isso o ajudará nessa jornada, acredite. Pense agora em todos os sonhos que estabeleceu e qual tempo você imaginou para realizá-los. Seja sincero consigo mesmo e verifique se o seu sonho é factível ou não. Não tenha medo de mudar, de reajustar a rota. A hora é agora!

PLANO MATERIAL

❝

A nossa vida em grande parte compõe-se de sonhos.
É preciso ligá-los à ação.

❞

– Anaïs Nin

Para este estágio de nossa jornada, falaremos do próximo plano para a realização de sonhos: o plano material. Neste momento, que já temos clareza de todos os pontos importantes, falaremos sobre como transformar nossos maiores objetivos em realidade. E, para isso, precisaremos fazer o nosso projeto de vida.

Mas o que é montar um projeto de vida? Como isso pode nos ajudar a conquistar o que sempre imaginamos? Chegaremos lá!

Como você já viu que parte da realização de um sonho é o planejamento dele, o projeto de vida parte do princípio de que precisamos analisar o nosso cenário atual (passo 1) para que possamos definir os nossos objetivos (passo 2) e o tempo de realização de nossos sonhos (passo 3). No plano material, será necessário também encontrar nossos motivadores (passo 4) e fazer uma autoavaliação das situações (passo 5) para visualizarmos a nossa trajetória (passo 6), encontrando nosso guardião (passo 7) e grupos de apoio (passo 8). O fechamento aqui falará sobre acompanhamento de planos (passo 9) e ousar ir além (passo 10) para celebrarmos cada conquista rumo ao nosso sonho (passo 11). Finalizaremos essa etapa falando sobre a disciplina do dia a dia, qualidade poderosíssima na jornada rumo à realização de grandes sonhos.

Vamos lá!

1. ANALISE O CENÁRIO

Qual é a sua situação atual? Como está a sua vida profissional? E a sua vida pessoal? Para este primeiro passo nós sugerimos que você faça uma análise profunda de todos os pontos principais – positivos ou negativos – do que está acontecendo hoje em sua vida pessoal e profissional. Depois, conectando aos tópicos anotados, liste também o que você espera do futuro para cada um desses pontos.

Essa é a análise do cenário atual. É um momento de reflexão para realmente entender o que está acontecendo nessas áreas e mapear os efeitos positivos e negativos de tudo o que lhe rodeia. Essa percepção auxilia na identificação de ameaças e oportunidades e o ajuda a manter o foco, para que assim você consiga conquistar o que almeja ainda mais rápido. Tire pelo menos alguns minutos para se dedicar a este momento!

2. DEFINA OS SEUS OBJETIVOS

Não perca o seu sonho de vista! Além de fazer a visualização da concretização do sonho neste momento, nossa proposta é que defina metas concretas e realistas para que alcance aquilo que deseja.

Reflita também sobre as ações que estão ao seu alcance e comece a trabalhar com base nelas para que você se mantenha constantemente motivado ao longo de todo o caminho que será necessário percorrer. Aqui é importante que você pense analiticamente, por exemplo: se o seu grande sonho é perder cinco quilos em oito meses, você precisará colocar no papel qual é a meta mensal para que isso aconteça.

Nessa etapa, é importante também que defina metas auxiliares, que em nosso exemplo não estariam necessariamente relacionadas à quantidade de peso que precisaria ser pedida por mês, mas sim pequenas metas que ajudarão nessa empreitada. Por exemplo: fazer atividade física diariamente, buscar o auxílio de um nutricionista que lhe passará uma dieta, não ingerir muitos doces ou alimentos supercalóricos etc.

Esses objetivos são importantes e precisam ser cumpridos. Tire um tempo para anotar tudo e para estruturar o seu plano material para chegar à realização de seu grande sonho.

3. DELIMITE O TEMPO

Estipular prazos é imprescindível! Defina o tempo para atingir o seu grande sonho, mas lembre-se: esse prazo precisa ser factível e estar de acordo com sua realidade. Se você estiver com medo de definir um prazo, nossa sugestão é que você faça mesmo assim. E acredite: pode ser que você se surpreenda e consiga até mesmo antes do tempo calculado.

Não colocar prazos para nossos sonhos é um grande erro, pois não nos ajuda a avançar em direção ao que queremos. Se não temos um prazo, por que fazer agora? Por que dar o próximo passo?

Assim, mesmo que você estipule um prazo e o perca, volte todas as etapas e faça novamente. Uma dica que pode ajudar de maneira efetiva é dividir todas as metas de seu plano de vida em pequenas metas, ou seja, metas de curto prazo. Fazendo isso, fica mais fácil avaliar seus avanços e possíveis obstáculos, e todo o processo fluirá tranquila e positivamente.

Mas não se esqueça: durante o processo de realização do sonho, você precisará voltar às metas para medir e saber se está seguindo adiante ou não. Caso você não esteja, não se preocupe, inicie o processo novamente e você conseguirá chegar lá.

4. ENCONTRE A SUA MOTIVAÇÃO

Precisamos encontrar motivadores poderosos que nos manterão em nosso caminho rumo à realização de grandes sonhos. Não podemos deixar a peteca cair jamais!

Muitas pessoas ficam paralisadas e não evoluem em seus objetivos pois não encontraram motivação suficiente para fazer isso. Ter um motivador é atingir uma mudança não apenas física e mental, mas também espiritual, pois o seu coração estará totalmente conectado com o seu corpo; e a sua mente e os seus desejos estarão conectados com as suas ações e atitudes. É como um longo passo de dança, no qual cada movimento leva a outro e assim temos uma bela coreografia.

Todas as atividades, portanto, precisam de motivação, pois ela é a força-motriz que nos trará ânimo e entusiasmo durante a jornada. Se antes da motivação essas atividades eram obrigação, agora elas se transformarão em grandes prazeres.

5. FAÇA UMA AUTOAVALIAÇÃO

Reflita sobre as suas habilidades e competências, sejam elas pessoais ou profissionais. No que você se destaca mais? Quais são as características que o ajudaram a crescer? Se seu comportamento já tem trazido resultados positivos, quais são os seus valores e o que você faz que o leva para mais perto dos seus sonhos?

Agora, se você não tem visto resultados positivos em suas ações, reflita: quais são os pontos de melhoria de suas limitações? Anote tudo isso para que você possa refletir.

Essa análise é importante para que você compreenda com maior profundidade quais de suas características você precisa fortalecer – aquelas que o ajudam a evoluir constantemente – e quais você precisa melhorar ou eliminar, para que não atrapalhem na hora de executar as ações que o levarão a realizar o seu grande sonho.

6. VISUALIZE O TRAJETO PARA O SEU SONHO

Aqui falaremos de uma ferramenta de Programação Neurolinguística (PNL) que o ajuda a visualizar o trajeto entre o ponto A e o ponto B. Agora o convidamos a contemplar o que acontecerá quando você realizar o seu sonho. Não poupe detalhes nesse momento!

Imagine as suas sensações, o que você ouvirá de sua família, amigos e parceiro, o que fará com essa grande conquista, como você comemorará. É importante também, nesse exercício de visualização, que você se imagine trilhando o caminho, atingindo as primeiras conquistas lá no início e dando sequência a realizações maiores depois. Imagine-se fazendo isso diariamente.

Nessa análise, você olhará para o projeto como um todo e é possível que precise modificar algo no caminho para que ele seja mais suave. Fique tranquilo! Coloque tudo no papel para não perder nada de vista.

7. TENHA UM GUARDIÃO DO SEU SONHO

Você já parou para pensar que todas as histórias de heróis são construídas com a ajuda de um guardião? O guardião, em geral, acompanha o protagonista, está do lado dele nos momentos bons e ruins e dá força sempre que o protagonista precisa seguir em frente.

Na realização de grandes sonhos, precisamos utilizar a mesma estratégia, pois além do ato motivador que o guardião trará, tendemos também a nos esforçar mais quando nos sentimos observados.

Assim, defina o guardião do seu sonho. É esperado que essa pessoa o acompanhe, que o observe atingindo pequenas e grandes conquistas, que o aconselhe quando necessário, que puxe a sua mão quando você estiver caindo, que lhe dê um abraço quando você estiver desmotivado e que comemore com você quando você finalmente chegar à realização.

PLANO MATERIAL

Esse guardião dirá também se você está indo na direção correta ou não. Mas não se esqueça: nesse momento é possível que seja dolorido ouvir que o caminho precisa ser ajustado, mas é uma alteração necessária. Se comprometa com seu guardião. Confie!

8. TENHA UM GRUPO DE APOIO

Além de ter um guardião, tenha também um grupo de apoio. Digamos que seu grande sonho é passar em um concurso público. Estudar sozinho nem sempre é legal, não ter um grupo de trocas de informações e dicas pode ser fatal em sua jornada. Assim, o ideal é encontrar um grupo de apoio para que você possa fazer essas trocas.

> Pessoas com objetivos parecidos motivam umas às outras.

E isso acontece pois elas nos ajudam a criar novos padrões comportamentais necessários para que mudanças aconteçam em nossa vida. Por isso invista em relacionamentos favoráveis, englobando colegas de trabalho, vizinhos, família, amigos etc. Quando entramos em contato com as pessoas certas no momento certo elas nos ajudam a progredir, alavancando nossos resultados e nos impulsionando sempre na direção certa.

9. ACOMPANHE O SEU PLANO

Não se esqueça de acompanhar a realização das pequenas metas para verificar se você está cada vez mais perto de grandes realizações. Tudo bem se aparecer imprevistos e você precisar fazer ajustes, só não desanime; siga em frente. E não deixe de monitorar o seu sonho para que ele seja, de fato, alcançado com o sucesso esperado.

10. OUSE IR ALÉM

Esta é uma dica voltada principalmente para aquelas pessoas que sentem o desejo interno de mudanças, tanto na vida pessoal quanto na profissional, mas se sentem um pouco perdidas, sem saber o que desejam alcançar para se sentirem realizadas.

Se você se encaixa nesse perfil, anote isso: **não tenha medo de sair da sua zona de conforto.** Isso quer dizer que você deve ousar ir além e fazer aquilo que sempre sonhou em fazer, mas nunca teve coragem, por achar que os riscos seriam grandes demais. Mas agora é hora de arriscar, de ir além, de ousar. Para cada ação existe um resultado e, se o resultado esperado ainda não veio, você tem que mudar a sua ação.

Desapegue de suas ideias mais fixas e vá além. Não se apegue ao medo e comece a elaboração de seu plano a partir de uma nova atitude.

11. CELEBRE CADA CONQUISTA RUMO AO SEU SONHO

Por menor que seja, cada conquista merece ser celebrada em nossa vida. Por vezes, focamos muito os obstáculos que aparecem e pouco as pequenas conquistas, o que nos faz ter vontade de desistir e hiperestimular aquilo que aconteceu de ruim sem olhar para tudo o que conseguimos realizar. Não faça isso!

Celebre pequenos momentos, pequenas vitórias, liberando o hormônio do bem-estar chamado dopamina. Fique feliz, comemore, se entusiasme e visualize mais conquistas para que elas cheguem até você. Ao fazer isso, a sua mente começa a **ser porta-voz do seu sucesso.** Ela começa a deixar de ser aquela voz que fica dizendo "Você não consegue, você não pode" e se transforma em porta-voz da vitória.

O progresso está logo aqui e a motivação está com você.

Siga a trajetória!

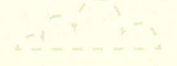

TENHA DISCIPLINA TODOS OS DIAS

Para fecharmos este capítulo, gostaríamos de falar sobre algo primordial quando o assunto é o plano material: disciplina.

Ter disciplina é fazer o que precisa ser feito na hora que precisa ser feito. Você não precisa ser o mais motivado, mas sim ser motivado todos os dias. E isso é o que chamamos de consistência. Nossas atitudes mostram muito do que conseguiremos realizar, pois não adianta nada fazer o necessário apenas 30% do tempo e achar que conseguirá realizar seus grandes sonhos. Essa conta não bate!

A consistência diz respeito ao que fazemos todos os dias, é o que transforma, de modo gradual, tarefas difíceis em tarefas mais fáceis. Novos padrões de comportamento são estabelecidos e o seu cérebro passa a assimilar melhor as alterações necessárias para se movimentar. E então temos a criação de um hábito. Novos hábitos são imprescindíveis para novos caminhos e realizações.

Lembrando sempre que não existe momento ideal para começar. Ele é hoje, agora. Começar exige que você tenha força de vontade mesmo em dias ruins, pois o derrotado não é aquele que cai, mas sim aquele que desiste de levantar; é aquele que desiste das metas por conta de um único vacilo. Vacilar faz parte. E você pode, você consegue, retomar.

Por isso, nosso pedido é: não desista de você! Você tem todos os recursos internos dentro de si, basta conectá-los ao seu desejo e à sua atitude, aliando os recursos internos e externos ao que você mais deseja. Mãos à obra!

PLANO MATERIAL

PLANO ESPIRITUAL

❞

A força mais potente do Universo é a fé.

❞

– *Madre Teresa de Calcutá*

O que nos move? O que nos traz vida? O que nos faz levantar todos os dias da cama para que possamos seguir em frente? Nossa jornada está terminando e o próximo passo será falarmos do plano espiritual, aquele que garantirá que estamos no caminho certo para que possamos nos sentir bem e felizes com as escolhas que fazemos.

O plano espiritual representa o último passo de nossa jornada.

ENCONTRE O PROPÓSITO DO SEU GRANDE SONHO

Um dos maiores motivadores para nos mantermos rumo à realização de nossos grandes sonhos é entender o nosso propósito.

Quando você diz "Quero emagrecer", qual é a meta da meta? Sempre existe uma camada mais profunda. Talvez você esteja com a autoestima abalada, talvez esteja com a saúde debilitada, talvez você queira ter mais energia para brincar com seus filhos, ou então sentir que te valorizam mais nos ambientes que frequenta etc. E então percebe que ao cuidar da saúde você atingirá esse objetivo.

Quando seu grande sonho é adquirir um imóvel, você poderá estar com o propósito de viver tranquilamente para deixar um legado material interessante para seus filhos, ou talvez esteja pensando em estabilidade pessoal para partir para novos caminhos.

Quando você almeja ganhar salário maior, é bem possível que você esteja querendo a tranquilidade de poder fazer uma viagem com a família ou com os amigos. Ou então não se preocupar de conseguir pagar os boletos em dia.

Ver os nossos sonhos olhando apenas para a camada superficial não nos ajudará a seguirmos adiante, pois assim não vemos as camadas mais profundas, as forças invisíveis que nos movem. Enxergá-las é fundamental em nosso processo, pois isso nos fortalecerá para cumprir nossas metas a partir de hoje.

Assim, para ajudá-lo na jornada, passaremos pelo plano espiritual, falaremos de alguns pontos importantes que precisam ser cuidados a partir de agora.

O SONHO FAZ O SEU CORAÇÃO VIBRAR?

Você só vai mesmo se dedicar à realização de um sonho se ele for importante e fizer o seu coração vibrar. Se ele trouxer felicidade, se trouxer entusiasmo. É preciso agora ouvir o seu coração. Quando pensa em seu sonho, ele está batendo forte? Seus olhos estão brilhando? É preciso que você vibre de emoção ao pensar em seus sonhos, pois assim saberá que está comprometido com o que quer.

A RODA DA VIDA

Sabemos que a vida contemporânea nos traz tarefas infinitas e realizar um grande sonho demandará energia e tempo; entretanto, você não poderá se esquecer das demais áreas da vida.

Mas quais são essas áreas e como cuidar delas?

PLANO ESPIRITUAL

A seguir você encontrará a roda da vida, que nos traz todas as áreas que precisam ser cuidadas paralelamente à conquista de nossos grandes sonhos. Estamos falando aqui das áreas pessoal, profissional, de relacionamentos e de qualidade de vida.

QUALIDADE DE VIDA — ESPIRITUALIDADE, PLENITUDE E FELICIDADE, HOBBIES E DIVERSÃO

PESSOAL — SAÚDE E DISPOSIÇÃO, DESENVOLVIMENTO INTECTUAL, EQUILÍBRIO INTECTUAL

PROFISSIONAL — REALIZAÇÃO E PROPÓSITO, RECURSOS FINANCEIROS, CONTRIBUIÇÃO SOCIAL

RELACIONAMENTOS — FAMÍLIA, DESENVOLVIMENTO AMOROSO, VIDA SOCIAL

Pare agora e faça uma análise de como estão todas as áreas de sua vida, anotando no quadrante as notas que você dá para cada uma delas. Depois, anote as ações que você precisa tomar para que todas as áreas funcionem bem.

A ideia aqui é traçar uma meta para cada área da sua vida. Sim, você vai ter uma meta na qual vai focar mais, o seu grande sonho; entretanto, é preciso estabelecer também outras pequenas metas que o ajudarão em outras áreas e que motivarão sua jornada, deixando tudo equilibrado e fazendo a roda girar continuamente.

Focar apenas uma área poderá trazer felicidade quando você realizar o seu grande sonho, mas essa felicidade não será perene, será passageira, pois é possível que todo o resto esteja ruim. Assim, para que você fique feliz quando concretizar o que se propôs a fazer, é preciso cuidar de tudo o que está no quadrante. Isso trará harmonia e leveza ao processo.

É claro que a área na qual o seu grande sonho se encontrará demandará mais atenção, mas as demais precisam também ser administradas e cuidadas com carinho. Não deixe que a conquista do seu sonho seja um fator que cause desequilíbrio em outras partes da sua vida.

Completar esse exercício fará com que você tenha grandes sacadas em sua jornada; e também o ajudará a encontra seus motivadores espirituais, aquilo que trará sentido à sua vida. Separe pelo menos sessenta minutos para realizar esse exercício antes de avançar para a próxima etapa.

PLANO ESPIRITUAL

FÉ INABALÁVEL

Para finalizarmos o plano espiritual, gostaríamos de trazer um conceito importantíssimo: fé inabalável.

Ter fé é ter a força de acreditar, pois nada adiantará sustentar o pensamento: *Ai, eu sei que não vai dar certo*. Ou então: *Não tem como isso acontecer*. Se você se apegar aos pensamentos negativos, o seu sonho dificilmente se tornará realidade.

Assim, independentemente de sua religião, você precisa sustentar a fé. Precisa acreditar; conecte-se com o todo e continue a obra-prima divina. Quando você entende que Deus criou você de uma maneira única, se dá conta de que existe uma missão única e especial em suas mãos. E o que você vai fazer todos os dias dentro dessa parceria maravilhosa? Vai fazer acontecer.

Ter fé não é apenas falar de Deus. É sentir que ele está presente em tudo aquilo que você faz, é sentir a dimensão valiosa dessa conexão. Quando você tem fé dentro de si, sua autoestima cresce, você se sente capaz, e tudo se encaminha para o melhor. Estar em comunhão com Deus é acreditar em si mesmo. Afinal, Deus está em nós.

Use essa força maravilhosa da fé que existe dentro de você. Ela é combustível para você superar os obstáculos, persistir e realizar todos os sonhos que deseja.

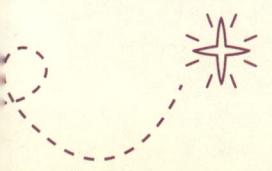

CONCLUSÃO:

CUIDE DA JORNADA